Minéraux, roches et fossiles

Franc
Illustration

MILAN
jeunesse

- - 2011

SOMMAIRE

LES MINÉRAUX   9

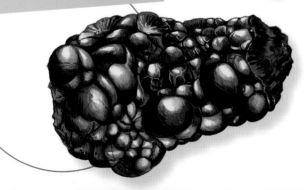

LES ROCHES

LES FOSSILES

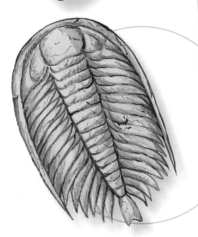

COMMENT UTILISER CE GUIDE ?

Prêt à partir à la recherche de minéraux, de roches ou de fossiles ?
N'oublie pas de te munir d'un marteau et d'un burin pour casser
les roches, d'un pinceau afin de nettoyer le secteur d'où tu extrairas
tes trouvailles, prends aussi des gants et des lunettes. Emporte
des sacs à échantillons, une loupe ainsi qu'un crayon et un carnet.

Ce guide est divisé en 3 parties :
la première est consacrée aux minéraux
(classés par couleurs), la deuxième
aux roches (rangées par type),
la troisième aux fossiles (ordonnés
suivant leur classification scientifique).

UN NOM EN LATIN !

Le nom des fossiles est en latin. En fait,
tous les êtres vivants ont un nom en latin
composé de 2 termes : le genre et l'espèce.
Cela sert aux scientifiques du monde entier
à se comprendre. Ton chat, par exemple,
s'appelle *Felis catus*. Le dernier nom,
ou nom d'espèce, le différencie du lion,
qui s'appelle *Felis leo*.

LES FICHES D'IDENTITÉ

Pour chaque minéral, une fiche t'indique
sa dureté, sa densité, son éclat
et son système cristallin (*voir* ci-contre),
pour chaque roche, la façon dont
elle s'est formée (*voir* page 6)
et ses couleurs possibles.

Sur chaque page, tu trouveras…

le nom des minéraux,
roches ou fossiles représentés

Page 6, tu trouveras une carte
géologique de la France
ainsi qu'un tableau avec
les différentes ères et périodes
de l'histoire de la Terre.

une fiche
d'identité
s'il y a
lieu

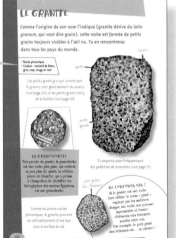

LE GRANITE

Comme l'origine de son nom l'indique (granite dérive du latin *granum*, qui veut dire grain), cette roche est formée de petits grains toujours visibles à l'œil nu. Tu en rencontreras dans tous les pays du monde.

DES SPÉCIALISTES

Le géologue étudie la formation
et l'histoire des roches qui constituent
la Terre. Le paléontologue travaille
sur les fossiles tandis que le minéralogiste
s'intéresse aux cristaux. Le pétrographe,
quant à lui, est un spécialiste
de la nature des roches.

l'endroit en France où tu as
le plus de chances de les observer

QU'EST-CE QU'UN MINÉRAL ?

Un minéral est un corps solide naturel, qui s'est constitué
à la suite de processus physiques et chimiques complexes.
Or, quartz, soufre… : on connaît aujourd'hui près de
7 000 minéraux différents !

LES FORMES CRISTALLINES

Les minéraux se présentent souvent sous
forme de cristaux : ils possèdent alors
des faces, des arêtes et des sommets.
Ils ont un aspect différent,
mais tous peuvent être rangés
dans l'un de ces 7 systèmes cristallins :

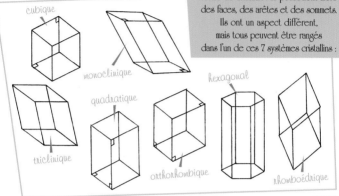

cubique

monoclinique

hexagonal

quadratique

triclinique

orthorhombique

rhomboédrique

LA DENSITÉ

Un cube de 10 cm de côté rempli
d'eau pèse 1 kg. Un cube
de fluorine de 10 cm de côté pèse
environ 3 kg. Il est 3 fois plus lourd
que le même volume d'eau.
Sa densité est donc de 3.
La densité représente le rapport
entre la masse d'un minéral et
celle d'un même volume d'eau.

L'ÉCHELLE DE DURETÉ

Elle est graduée de 1 à 10. À chaque barreau
correspond un minéral type : 1 talc, 2 gypse,
3 calcite, 4 fluorine, 5 apatite, 6 orthose, 7 quartz,
8 topaze, 9 corindon, 10 diamant. Tu peux estimer
facilement la dureté des minéraux : ceux de dureté
1 et 2, par exemple, se rayent à l'ongle, tandis que
tous les minéraux d'une dureté supérieure
à 6 rayent le verre.

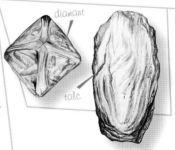

diamant

talc

L'ÉCLAT

Il caractérise la manière dont la lumière se reflète
sur un cristal : les minéraux à éclat vitreux
ressemblent à des morceaux de verre ; un éclat
gras est celui de l'huile, un éclat brillant et gras est
dit adamantin. L'éclat métallique est celui d'un métal
tandis que l'éclat nacré ressemble à celui
de l'intérieur d'un coquillage. Enfin, l'éclat soyeux
est satiné et velouté comme celui de la soie.

QU'EST-CE QU'UNE ROCHE ?

Une roche est un assemblage naturel de différents minéraux. Lorsqu'elle contient des substances exploitables (des métaux par exemple), elle porte alors le nom de minerai. Les plus anciennes roches de la planète sont âgées d'environ 4 milliards d'années !

LES DIFFÉRENTS TYPES DE ROCHES

Selon la manière dont elles se forment, on distingue plusieurs types de roches :

le marbre, une roche métamorphique

• Les roches plutoniques proviennent du refroidissement d'une lave (roche en fusion) sous la surface du sol.

• Les roches métamorphiques résultent de la transformation d'une autre roche sous l'effet de la chaleur, dûe à un contact avec de la lave ou à un enfouissement à de grandes profondeurs.

le granite, une roche plutonique

le grès, une roche sédimentaire

• Les roches sédimentaires se forment à la surface de la Terre mais aussi sous les mers. Elles sont souvent le résultat de la dégradation et de la transformation des roches précédentes par l'érosion.

• Lorsqu'une lave se refroidit au contact de l'air ou de l'eau, on obtient des roches volcaniques.

la pierre ponce, une roche volcanique

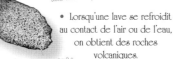

CARTE GÉOLOGIQUE

La carte géologique est un outil très précieux. Les couleurs indiquent des types de terrain (volcans) ou l'âge d'un terrain (l'histoire de la Terre étant divisée en ères et en périodes) et donc l'âge des roches d'une région. Elle permet parfois de repérer les gisements de fossiles et de minéraux.

Ères		Périodes
Cénozoïque	Quaternaire (qui a commencé il y a 1,8 million d'années)	Holocène Pléistocène
	Tertiaire (comprise entre − 65 et − 1,8 millions d'années)	Pliocène Miocène Oligocène Éocène Paléocène
	Secondaire ou mésozoïque (comprise entre − 245 et − 65 millions d'années)	Crétacé Jurassique Trias
	Primaire ou paléozoïque (comprise entre − 540 et − 245 millions d'années)	Permien Carbonifère Dévonien Silurien Ordovicien Précambrien Cambrien

■ Précambrien
■ Terrains anciens des Alpes
■ Trias
■ Jurassique
■ Crétacé
■ Tertiaire
■ Volcans

QU'EST-CE QU'UN FOSSILE ?

Un fossile est le reste d'un être vivant (animal, plante) conservé dans une roche. Si ce sont généralement les parties les plus dures qui se fossilisent (dents, os, coquilles ou carapaces), on retrouve parfois des restes de peau, du pollen, des crottes, des empreintes…

insecte dans ambre

DES FOSSILES D'EXCEPTION

Dans des cas très rares, on découvre des animaux entiers comme des mammouths conservés dans la glace ou des insectes prisonniers dans l'ambre.

LA FORMATION D'UN FOSSILE

Pour qu'un être vivant se transforme en fossile, il faut qu'il soit rapidement enseveli dans un sédiment (de la boue par exemple).

① À sa mort, il tombe au fond d'un lac ou de la mer.

LE SAVAIS-TU ?

Dans le parc d'Amboseli, au Kenya, les scientifiques ont pu observer qu'il ne restait plus aucun élément du squelette d'un éléphant 5 ans après sa mort si celui-ci n'était pas rapidement enterré. Pas étonnant que les fossiles soient rares !

② Il est recouvert par du sable et de la boue tandis que sa chair se décompose. Il ne reste plus que son squelette (ou sa coquille ou sa carapace) pris dans une gangue (une couche de sédiments), qui devient de plus en plus dure et se transforme finalement en roche. Son squelette (sa coquille ou sa carapace) se minéralise lentement et se transforme également en pierre.

OÙ CHERCHER ?

Pour trouver des fossiles, inspecte surtout les roches sédimentaires (calcaires, grès, argiles…), notamment celles déposées sous la mer. Examine éventuellement certaines roches métamorphiques comme les schistes. Dans le chapitre sur les fossiles, nous t'avons indiqué l'âge des terrains (*voir* aussi page 6) où tu auras des chances d'en trouver.

③ Des millions d'années plus tard, l'eau se retire, la roche s'érode, s'use, et le fossile finit par apparaître.

LE PLUS VIEUX FOSSILE DU MONDE

On ne peut pas le voir à l'œil nu. Il s'agit de bactéries retrouvées dans des roches âgées d'environ 3,5 milliards d'années !

L'ABC DU COLLECTIONNEUR

Tu rêves de te constituer une collection de minéraux, de roches ou de fossiles ? Voici quelques conseils pour t'aider.

échantillon de soufre

RÉFÉRENCE TES TROUVAILLES

Note très précisément la date ainsi que le lieu exact de ta collecte sur un petit carnet, inscris-les sur ton spécimen à l'encre de Chine, sur laquelle tu passeras un peu de vernis incolore. Mets ensuite ton spécimen dans une boîte fermée avec une étiquette indiquant elle aussi le lieu et la date de ta récolte.

UNE COLLECTION BIEN CONSERVÉE

Après avoir bien nettoyé les objets de ta récolte, fais-les sécher doucement, à l'abri du soleil, dans un endroit aéré. Lorsqu'ils sont secs, consolide-les (tes fossiles surtout) si nécessaire, en demandant à un adulte de les enduire de colle (de la colle Scotch mélangée à de l'acétone par exemple). Présente ensuite les éléments de ta collection dans une vitrine ou conserve-les dans des petits casiers ou des boîtes que tu auras remplis de coton.

fossile de végétal
(Annularia sphenophylloïdes)

QUELQUES RÈGLES DE BONNE CONDUITE ET DE SÉCURITÉ :

- Ne ramasse jamais d'objets sans demander l'autorisation au propriétaire du terrain.
- Pense à refermer barrières et clôtures, ne dégrade pas les cultures.
- Ne ramasse qu'un petit nombre de spécimens.
- Ne prélève pas d'objets dans un mur.
- Ne laisse aucun détritus.
- Ne pars pas seul et informe toujours un adulte du lieu exact de tes recherches.
- Porte un casque au pied des falaises ou dans les carrières.

- Ne pénètre jamais dans une carrière, une galerie souterraine ou une grotte sans être accompagné d'une personne compétente. Cela peut être très dangereux.
- Mets des lunettes de protection quand tu utilises un marteau et un burin pour frapper sur un rocher.
- Ne creuse jamais des trous profonds dans le sable ou à la base d'une falaise.
- Prends garde aux marées en bord de mer et aux possibles montées des eaux des rivières, particulièrement en montagne.

LES MINÉRAUX

LE GYPSE

Minéral très tendre, de couleur blanche à grise, parfois rosé, le gypse peut se rayer avec l'ongle. Très utilisé par l'homme, il se transforme en plâtre par chauffage et broyage.

LE SAVAIS-TU ?
Le nom de « plâtre de Paris » provient des premières exploitations de gypse dans les carrières de Montmartre à Paris. On a découvert dans ce gypse de très beaux fossiles de mammifères.

- Dureté : 2
- Densité : 2,3
- Éclat : vitreux
- Système cristallin : monoclinique

gypse
fer de lance

La forme en fer de lance est caractéristique du gypse.

Comme les micas (*voir* pages 14 et 20), le gypse fer de lance est formé de lamelles superposées.

lamelle

forme pointue

FLEURS DE PIERRE
Les roses des sables que l'on trouve dans le désert du Sahara sont formées par du gypse qui a cristallisé rapidement en englobant des particules de sable.

albâtre

rose des sables

L'albâtre, légèrement granuleux, est une variété de gypse qui a beaucoup été utilisée par les anciens Égyptiens pour fabriquer des vases ou des sculptures.

- Dans les roches sédimentaires, les argiles, les cavités des calcaires

LA CALCITE

Très courante, la calcite se reconnaît facilement en déposant une goutte de vinaigre à sa surface : il se produit alors de petites bulles et une effervescence caractéristique. Habituellement incolore ou blanche, elle peut aussi présenter des traces de couleurs claires.

- Dureté : 3
- Densité : 2,7
- Éclat : vitreux
- Système cristallin : rhomboédrique

DE LA CALCITE AU MICROSCOPE

Quand on regarde la page d'un livre à travers les cristaux de calcite purs connus sous le nom de spath d'Islande, on voit les lettres en double ! Cette propriété a permis de mettre au point des microscopes spéciaux utilisés par les minéralogistes.

Les cristaux de calcite ont la forme d'un rhomboèdre : leurs faces ressemblent à des losanges.

rhomboèdre

Après le quartz (*voir* page 24), la calcite est le minéral le plus abondant sur Terre. Même la coquille des huîtres est en calcite !

NE CONFONDS PAS !

Le diamant est un minéral bien plus dur que la calcite. Il raye le verre et l'acier, et ses cristaux ont en général 8 faces (octaèdres). Ce minéral, très rare et si recherché, ne se trouve pas en France.

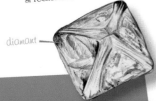

diamant

- Presque partout, surtout dans les fissures des calcaires

LE SEL GEMME

cristal de sel en trémie

Ce minéral se reconnaît très facilement à son goût salé. Il se dissout rapidement dans l'eau. C'est un minéral très important pour l'homme, qui doit en manger 2 g par jour car il freine la déshydratation.

Les cubes de cristaux de sel peuvent avoir une surface concave (en creux). On parle alors de cristal en trémie.

- Dureté : 2,5
- Densité : 2,1–2,6
- Éclat : gras
- Système cristallin : cubique

On l'appelle également l'halite.

Incolore ou blanc, il peut aussi avoir des traces de jaune, de rouge ou quelquefois de bleu.

LE SAVAIS-TU ?

La quantité de sel dissoute dans les mers et les océans de la planète permettrait de recouvrir toute la France d'une couche épaisse de 35 km !

cube

Les cristaux de sel se présentent sous la forme de cubes entremêlés les uns aux autres.

FABRIQUE UN MINÉRAL

Verse dans 1 l d'eau très chaude 3 à 4 verres de sel de cuisine. Place un caillou dans le récipient d'eau salée, puis laisse-le reposer. Quand l'eau se sera évaporée, des cristaux de sel gemme recouvriront ton caillou. Pour éviter que tes cristaux ne s'abîment avec l'humidité de l'air, pulvérise-les avec de la laque à cheveux.

- Mines (est de la France)
- Marais salants (Méditerranée, côte Atlantique)

LE TALC

C'est le plus tendre de tous les minéraux. Il se raye très facilement avec l'ongle et on a les mains toutes douces après l'avoir touché. Il rejette l'eau et absorbe la graisse.

Il est aussi connu sous le nom de stéatite.

- Dureté : 1
- Densité : 2,7–2,8
- Éclat : gras à nacré
- Système cristallin : monoclinique

feuillets de talc

À QUOI ÇA SERT ?

Le talc est utilisé pour la fabrication de médicaments, comme produit de beauté ou dans la fabrication du papier, des pneus de voiture, des peintures ou de la céramique. Il sert même d'anticollant de surface sur les tablettes de chewing-gum ! Les analyses récentes des peintures préhistoriques de la grotte de Niaux en Ariège ont montré qu'elles avaient été fabriquées avec du talc.

talc vert

Le talc est formé de petites lamelles ou d'écailles flexibles qui se détachent très facilement les unes des autres.

Généralement blanc, il peut aussi être vert, gris, jaune ou brun.

- Terrains métamorphiques (Pyrénées – Ariège surtout –, Corse)

LA MUSCOVITE

Ce minéral très répandu fait partie
de la grande famille des micas.
Il se caractérise par une structure
en feuillets et peut se rayer avec l'ongle.
C'est l'un des constituants du granite.
Généralement de couleur blanche,
la muscovite peut aussi être incolore,
jaune clair, ambre, rose vif ou verte.

ÉTYMOLOGIE
C'est de la région de Moscou
que ce minéral tire son nom.
Les grandes plaques
de muscovite que l'on trouve
en Russie étaient autrefois
utilisées pour fabriquer
les carreaux des fenêtres.

- Dureté : 2-2,5
- Densité : 2,8-3
- Éclat : vitreux à nacré
- Système cristallin : monoclinique

paragonite

lamelle

Les cristaux sont formés
par l'accumulation
de lamelles, un peu comme
un millefeuille.

La paragonite
est également un mica blanc
mais beaucoup plus rare.

cristaux
à 6 côtés

VIVEMENT NOËL !
La neige artificielle
que l'on utilise pour décorer
les arbres de Noël contient
de la muscovite réduite
en poudre.

Les cristaux de muscovite
sont souvent de forme hexagonale.

14

- Dans les granites, les schistes, les grès
et même dans les rivières

LA FLUORINE

Plus dure que la calcite, mais moins dure que le quartz, qui peut la rayer, la fluorine se présente sous plusieurs couleurs : violette, verte, bleue, jaune. Les Grecs de l'Antiquité l'ont utilisée comme pierre précieuse et en ont fait aussi des vases.

TES DENTS ET LE FLUOR

Le fluor, un élément chimique que l'on extrait de la fluorine, joue un rôle primordial dans la qualité de l'émail de tes dents et empêche l'apparition de caries. C'est pour cette raison qu'on en met dans certains dentifrices.

- Dureté : 4
- Densité : 3-3,3
- Éclat : gras
- Système cristallin : cubique

Elle est très utilisée dans l'industrie chimique pour fabriquer des acides.

cristaux en forme de cube

NE CONFONDS PAS !

Même si sa couleur jaune peut faire penser à de la fluorine, le soufre est moins dur (tu peux le rayer avec ton ongle) et ses cristaux forment en général une double pyramide. Il dégage aussi une odeur très caractéristique, un peu irritante, quand il est chauffé. Tu le trouveras dans les régions volcaniques ou près de certaines sources thermales comme Barèges dans les Pyrénées ou Aix-les-Bains en Savoie.

Elle sert également dans l'industrie du verre et des céramiques.

soufre

- Dans des roches granitiques, les fissures de certaines zones calcaires ou le charbon

L'OR

L'or est un métal très recherché par l'homme depuis l'Antiquité. Il ne s'oxyde jamais. Comme il est malléable et extensible, si on étire 1 g d'or en le chauffant, on forme un fil minuscule de 3 km de long !

- Dureté : 2,5-3
- Densité : 19,9
- Éclat : métallique
- Système cristallin : cubique

pépite à 8 faces (octaèdre)

couleur jaune

Ses cristaux forment des octaèdres ou bien des masses aplaties en feuilles ou en fines écailles.

pyrite

NE CONFONDS PAS !

La pyrite est souvent appelée « l'or des fous ». Pour les différencier, raye un morceau de porcelaine non vernissée avec tes échantillons : la trace de la pyrite est noir verdâtre, celle de l'or est jaune. La pyrite est aussi plus dure (6-6,5) et moins dense (5).

CHERCHEUR D'OR

La batée est un récipient en métal en forme de chapeau chinois. On la remplit avec un peu d'alluvions (sable, graviers) et de l'eau de la rivière. Puis on lui donne un mouvement circulaire et on l'incline pour éliminer les éléments en suspension. On recommence l'opération plusieurs fois. À la fin, si tu as de la chance, tu trouveras des paillettes d'or dans le fond de ta batée, mélangées à d'autres minéraux lourds comme les grenats.

- Dans les alluvions des rivières ou les filons de quartz près des massifs de granite

L'AMBRE

L'ambre est une résine fossile sécrétée par des conifères. Souvent d'une teinte de miel, ses couleurs varient du jaune citron au brun sombre.

- Dureté : 2-2,5
- Densité : 1-1,1
- Éclat : gras
- Pas de système cristallin

En regardant un échantillon de près, tu verras parfois des craquelures à l'intérieur.

L'ambre se présente sous la forme de billes, de boules, de concrétions ou de galets.

craquelure

insecte

On trouve assez souvent des insectes piégés dans l'ambre. Ces animaux se sont englués dans la résine avant qu'elle ne se fossilise. On a même trouvé des grenouilles ainsi conservées !

NE CONFONDS PAS !

L'ambre gris, utilisé pour la fabrication de parfums, n'est pas une résine fossile mais une sécrétion qui se forme dans l'intestin des cachalots. On le récoltait autrefois sur les plages ou flottant au milieu des vagues.

ambre gris

- Dans les argiles déposées en bord de mer ou par des rivières

LA GALÈNE

La galène est le principal minerai de plomb depuis l'Antiquité. Tu la reconnaîtras assez facilement car elle est lourde et de couleur gris métal. Elle a été utilisée pour la fabrication des premiers postes de radio car elle possède des propriétés électriques.

La galène contient souvent de l'argent sous forme d'impuretés.

- Dureté : 2,5–2,7
- Densité : 7,4–7,6
- Éclat : métallique
- Système cristallin : cubique

couleur grise

cristaux en forme de cube

Attention, ce minéral est toxique et tu dois bien te laver les mains après l'avoir touché.

graphite

À TES CRAYONS !
Comme la galène, le graphite est de couleur gris métal. En revanche, il est beaucoup moins dense. Même s'il n'est en fait constitué que de carbone, il est souvent commercialisé aujourd'hui sous le nom de mine de plomb. On s'en sert pour faire des mines de crayon.

18

- Dans les roches sédimentaires ou au sein de calcaires enrichis en magnésium

LA GOETHITE

La goethite est un minerai de fer très important. Elle tire son nom de l'écrivain allemand Johann Wolfgang Goethe, qui s'intéressait beaucoup à la minéralogie et collectionnait comme toi les minéraux.

LES PEINTRES DE LASCAUX

La goethite est utilisée depuis la préhistoire. Elle a servi de pigment aux artistes qui ont peint les parois des grottes de Lascaux voilà 17 000 ans.

- Dureté : 5-5,5
- Densité : 3,4-4,3
- Éclat : métallique à soyeux
- Système cristallin : orthorhombique

Lorsqu'on frotte de la goethite sur de la porcelaine non vernissée, la trace est de couleur jaune-brun.

forme mamelonnée (bossue)

limonite

UN ÉVENTAIL DE FORMES ET DE COULEURS

Ce minéral lourd, de couleur noir brillant à noir brun quand il est cristallisé, se rencontre souvent sous forme de plaquettes fragiles composées de très fines aiguilles. Il peut aussi se présenter en fibres de couleur brune à jaune. Mais le plus souvent, il forme des masses mamelonnées.

La limonite est de la rouille naturelle, comme celle que tu observes sur un morceau de fer qui est resté longtemps dehors. Elle est très fréquemment associée à la goethite.

- Dans toutes les régions où l'on exploite des mines de fer

LA BIOTITE

Comme la muscovite, la biotite fait partie de la grande famille des micas et est l'un des principaux constituants du granite ou des micaschistes. Elle se présente sous la forme de lamelles flexibles, de couleur noire, brun foncé ou vert-noir.

- Dureté : 2,5-3
- Densité : 2,8-3,4
- Éclat : vitreux
- Système cristallin : monoclinique

La biotite forme des prismes pseudo-hexagonaux (à 6 côtés).

LE SAVAIS-TU ?
Le plus grand cristal de biotite du monde mesure 2,50 m sur 1,50 m ! Il a été trouvé dans une mine du Canada.

lamelle

phlogopite

Les cristaux se présentent comme un millefeuille de plaquettes empilées les unes sur les autres.

UTILISATION
Contrairement aux micas blancs, les micas noirs sont peu utilisés dans l'industrie. On se sert cependant de la poudre de biotite comme colorant spécial.

La phlogopite est un mica de couleur ambrée ou brun clair est souvent associé à la biotite.

- Dans les roches plutoniques et métamorphiques et toutes les zones montagneuses

LA TOURMALINE

De couleur bleue, rose, verte, brune ou noire, la tourmaline
se reconnaît assez facilement. Ses cristaux sont allongés en forme
de baguettes ou d'aiguilles qui peuvent atteindre 1 m de long.

- Dureté : 7-7,5
- Densité : 3-3,7
- Éclat : vitreux
- Système cristallin : rhomboédrique

tourmaline
bleue

Ses cristaux
sont souvent cannelés
verticalement.

tourmaline
verte

cannelure

La tourmaline bleue s'appelle
l'indigolite, la rose la rubellite,
la verte la verdélite et la brune
la dravite. Parfois, un même cristal
peut présenter ces couleurs
en bandes alternées.

Les faces de la tourmaline
sont la plupart du temps légèrement courbes.

Ses cristaux sont en général
triangulaires quand on les coupe
perpendiculairement
à leur longueur.

LA PIERRE QUI ATTIRE LES CENDRES

Le nom tourmaline vient du cingalais (de l'île
de Ceylan) *toramalli* qui signifie « pierre qui attire
les cendres ». En effet, quand on fait chauffer
de la tourmaline, elle se charge d'électricité
positive à une extrémité, négative à l'autre.
Cette propriété, appelée pyroélectricité,
lui permet d'attirer les cendres du foyer
au-dessus duquel on la fait chauffer.

- Dans les roches plutoniques (pegmatites)
et métamorphiques
- Massif des Maures, monts du Lyonnais
et Pyrénées

L'AZURITE

L'azurite est un minerai de cuivre de
couleur bleu azur, bleu clair ou sombre.
Broyée en poudre, elle était autrefois
utilisée pour réaliser les pigments bleus
des peintures. Si tu déposes dessus
une goutte de vinaigre, tu observeras
à sa surface des petites bulles
effervescentes, comme pour la calcite.

ASSOCIATION FRÉQUENTE

L'azurite se transforme par altération
en malachite, qui forme
des petites croûtes vertes
à la surface de l'azurite.

- Dureté : 3,5-4
- Densité : 3,8
- Éclat : vitreux
- Système cristallin : monoclinique

L'azurite se présente souvent
en grands cristaux bien formés
ou en agrégats affectant
la forme d'une rosette.

lapis-lazuli

cristaux bleus

NE CONFONDS PAS !

Le lapis-lazuli, également de couleur
bleue, est un minéral plus dur et moins
dense, formé de cristaux cubiques. Il est
très employé comme pierre précieuse
ou pour faire des objets d'art.
C'est un minéral assez rare.

- Dans les mines de cuivre
- Lorraine, Corbières, Hérault, Var, Rhône, Alsace

LE GRENAT

C'est un minéral très commun. De couleur rouge, orange, jaune, violette ou noire, le grenat se présente généralement en grains plus ou moins gros, à 12 faces. Il a été beaucoup utilisé pour faire des bijoux, notamment en Europe centrale.

- Dureté : 6-7,5
- Densité : 3,5-4,3
- Éclat : vitreux
- Système cristallin : cubique

La forme à 12 faces des grains peut s'inclure dans un cube.

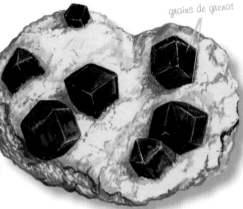

grains de grenat

micaschiste

Le grenat est un minéral très dur, qui est utilisé pour la fabrication d'abrasifs (des matériaux pour frotter et polir).

Le grenat est en fait le nom d'une famille de 6 minéraux difficiles à distinguer les uns des autres.

pyrope

UN GRENAT TAILLÉ
Le pyrope est aussi connu sous le nom de grenat de Bohême. Très à la mode au cours du XIXe siècle, il a souvent été taillé pour être porté en bijou. La plus grosse pierre taillée dans un grenat a la taille d'un œuf de pigeon !

- Dans le sable des rivières, les roches métamorphiques et certaines roches plutoniques

LE QUARTZ

Le quartz est le plus commun de tous les minéraux. Cristallisé, il se termine généralement en une pointe formée de faces de taille inégale. Les grandes faces qui constituent le corps de cristal sont le plus souvent striées. Il peut être de différentes couleurs : noir, jaune, gris, rose ou violet comme l'améthyste.

- Dureté : 7
- Densité : 2,8–3,4
- Éclat : vitreux
- Système cristallin : rhomboédrique

améthyste

pointe en pyramide

cristal violet

L'améthyste est une variété de quartz colorée en violet par des traces de fer.

agathe

L'agathe est une variété de quartz connue aussi sous le nom de calcédoine. Ses cristaux microscopiques forment des bandes de couleur différente.

Utilisée en joaillerie, l'améthyste orne la bague des évêques.

quartz transparent

DE MULTIPLES VARIÉTÉS

Le quartz transparent s'appelle cristal de roche. Il est connu depuis l'Antiquité – les Romains se servaient de boules de cristal de roche pour se refroidir les mains en été. Le quartz noir s'appelle quartz morion, le jaune, quartz citrine.

- Presque partout (dans le sable des rivières notamment)
- Cristaux dans roches plutoniques et métamorphiques

LES ROCHES

- LE GRANITE
- LA PEGMATITE
- LE BASALTE
- L'OBSIDIENNE
- LA CINÉRITE
- LE GNEISS
- LE MARBRE
- LE SCHISTE
- LE CALCAIRE
- LE GRÈS
- LA CRAIE
- LE CHARBON
- LA DIATOMITE

LE GRANITE

Comme l'origine de son nom l'indique (granite dérive du latin *granum*, qui veut dire grain), cette roche est formée de petits grains toujours visibles à l'œil nu. Tu en rencontreras dans tous les pays du monde.

- Roche plutonique
- Couleur : tacheté de blanc, gris, rose, rouge et noir

Les petits grains gris qui constituent le granite sont généralement du quartz (*voir* page 24), et les petits grains noirs, de la biotite (*voir* page 20).

biotite

quartz

petits grains

LA GRANODIORITE
Très proche du granite, la granodiorite est une roche plus grise, qui contient un peu plus de quartz. La célèbre pierre de Rosette, qui a permis à Champollion de déchiffrer les hiéroglyphes des anciens Égyptiens, est une granodiorite.

Il comporte aussi fréquemment des paillettes de muscovite (*voir* page 14).

petit granit des Ardennes

NE CONFONDS PAS !
Si le granite est une roche bien définie, le terme « granit » employé par les marbriers désigne une roche non poreuse, imperméable et formée d'éléments très fortement soudés entre eux.
Par exemple, le petit granit des Ardennes est... un calcaire !

Comme les autres roches plutoniques, le granite provient du refroidissement d'une lave sous la surface du sol.

- Alpes, Pyrénées, Massif central, Vosges, Cévennes, Bretagne, Corse

LA PEGMATITE

Comme le granite, la pegmatite vient
du refroidissement d'une lave sous
la surface. Toutefois, les cristaux qui
la composent sont beaucoup plus gros
que ceux que tu vois dans les granites.
C'est dans cette roche que l'on récolte
souvent les plus beaux échantillons
de minéraux.

UNE SOURCE DE RICHESSE

Les pegmatites sont des roches
importantes d'un point de vue
économique. On en extrait
des minéraux rares comme
le lithium mais aussi des pierres
précieuses comme l'aigue-marine,
le saphir ou la topaze.

- Roche plutonique
- Couleur : tacheté de blanc,
  rose, rouge et noir

Plus le refroidissement
de la lave est lent,
plus la taille des cristaux
que l'on rencontre
dans la pegmatite
est importante.

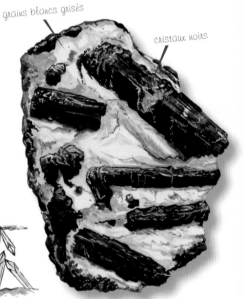

grains blancs grisés

cristaux noirs

base de cristaux

Dans une pegmatite, les grands
cristaux sont sensiblement
parallèles les uns aux autres.
Ils croissent depuis le bord
d'une fissure vers son centre.

Dans les pegmatites, tu trouveras
fréquemment des minéraux tels
la biotite (*voir* page 20), la fluorine
(*voir* page 15), la pyrite (*voir* page 16)
et la galène (*voir* page 18).

- Près de zones granitiques

LE BASALTE

basalte à olivine

C'est la plus courante des roches volcaniques. Elle provient du refroidissement rapide d'une roche en fusion au contact de l'eau ou de l'air. C'est aussi la roche la plus abondante : 70 % des roches de la surface de la Terre sont des basaltes ! Malheureusement pour toi, ils se trouvent en grande majorité au fond des océans…

Parfois, à l'intérieur du basalte, tu pourras observer des petits grains verts. Ce sont des cristaux d'olivine, le premier minéral à cristalliser lorsqu'un magma (une roche en fusion) refroidit.

- Roche volcanique
- Couleur : noir ou noir grisâtre

Les grains qui le composent sont très fins et aucun minéral n'est directement identifiable.

LE SAVAIS-TU ?

Les grands écoulements (nappes) de basalte s'appellent des trapps. Ceux du Deccan, en Inde, couvrent une surface grande comme la France sur une épaisseur de 2 km ! Ils sont contemporains de la disparition des dinosaures.

Le basalte ne contient pas du tout de quartz.

Il présente souvent des petits trous formés à l'origine par des bulles de gaz.

colonne de basalte

LA CHAUSSÉE DES GÉANTS

Le basalte se présente souvent sous la forme de grands prismes accolés les uns aux autres. La Chaussée des géants en Irlande du Nord, composée de près de 40 000 colonnes de basalte, est un phénomène géologique spectaculaire, classé au Patrimoine mondial de l'Unesco.

- Massif central, Ardèche, ville d'Agde, Corse

L'OBSIDIENNE

L'obsidienne est une roche très riche en silice, un composé chimique où sont mélangés de l'oxygène et du silicium. C'est un verre naturel, transparent à translucide, qui se forme à partir d'une coulée de lave très épaisse. Mets des gants avant d'en ramasser un morceau ! Ses bords sont tranchants et tu pourrais te blesser gravement.

- Roche volcanique
- Couleur : noir brillant, gris ou brun

cassure identique à celle d'un bloc de verre

obsidienne flocon de neige

DES FLOCONS DE NEIGE ?
Le verre de l'obsidienne peut former des sortes de petites fleurs blanches composées d'un minéral appelé feldspath. On obtient ainsi des obsidiennes dites « flocon de neige ».

On n'observe jamais de cristaux dans l'obsidienne, qui se présente sous la forme d'une masse de verre.

bords tranchants

Cette roche dure raye le verre.

DES OUTILS PRÉHISTORIQUES
L'obsidienne a été utilisée par nos ancêtres du Néolithique pour fabriquer des outils, notamment des pointes de flèches ou des lamelles très tranchantes. À cette époque, l'obsidienne faisait l'objet de commerce et d'échanges dans le sud de l'Europe.

obsidienne taillée

- Massif central, région du Mont-Dore

LA CINÉRITE

Encore une roche dont l'histoire est étroitement liée aux volcans !
La cinérite naît en effet de l'accumulation et de la consolidation
de cendres volcaniques. C'est une roche tendre et poreuse,
qui peut se former aussi bien sur terre que sous la mer.

- Roche volcanique
- Couleur : blanc, gris clair

grains fins

La cinérite est composée
d'éléments dont la taille
est inférieure à 2 mm.

couleur blanc grisé

LA PIERRE PONCE

Elle se forme à partir de fragments d'une lave
visqueuse acide, projetés en l'air par un
volcan. Apparaissent alors de petites bulles
séparées par de minces parois de verre
volcanique. C'est l'un des constituants des
éruptions explosives catastrophiques que l'on
appelle nuées ardentes. Très légère, la pierre
ponce flotte sur l'eau.

tuf volcanique

tuf
sédimentaire

NE CONFONDS PAS !

Un tuf volcanique est une roche tendre
formée par des matériaux dont la taille
varie de 2 à 64 mm, projetés ou éjectés lors
d'éruptions parfois violentes. Il est associé
aux volcans explosifs. En revanche, le tuf
sédimentaire, aussi appelé travertin,
est une accumulation de calcaire dissous
dans l'eau des rivières ou des sources.
Tu y trouveras souvent des traces
de plantes ou de coquilles.

- Auvergne, Massif central principalement,
  région d'Agde

LE GNEISS

Le gneiss ? C'est une roche issue
de la transformation d'autres roches
par la chaleur et la pression.
Il se caractérise par des couches claires
et foncées, alternées et discontinues.
Les minéraux qui le composent forment
des grains de taille moyenne.

UN PEU DE VOCABULAIRE

Un gneiss provenant
de la transformation du granite
est un orthogneiss. S'il est issu
de celle d'un sédiment
argileux, c'est un paragneiss.

- Roche métamorphique
- Couleur : gris ou rose, avec des rayures et des couches sombres

Divers minéraux se rencontrent dans
les gneiss : quartz (*voir* page 24),
muscovite (*voir* page 14), biotite
(*voir* page 20)...

couches
discontinues

grains
moyens

LE GNEISS ŒILLÉ

C'est un gneiss dans lequel
de grands cristaux de feldspath
(un minéral) se sont formés ou
ont été conservés. Autour de
ces cristaux, tu observeras
une alternance de bandes claires
et sombres. C'est souvent le signe
qu'il s'agit là d'un orthogneiss.

DU GNEISS PLISSÉ

Très souvent, les différents lits
qui constituent le gneiss sont plissés.
Ces déformations sont le résultat
de la température et de la pression
qui amènent les roches près de leur point
de fusion (au moment où elles sont
prêtes à fondre).

31

- Terrains métamorphiques souvent associés aux granites

LE MARBRE

Le marbre provient de la transformation d'un calcaire sous l'effet de la température et de la pression. C'est une roche relativement tendre qui peut se rayer avec un canif.
Il est très utilisé par l'homme depuis l'Antiquité, notamment pour la réalisation de statues.

- Roche métamorphique
- Couleur : blanc, rouge, noir, jaune, vert, tacheté ou veiné de différentes teintes

Le marbre est une roche poreuse, très sensible aux taches.

couleur blanc pur

marbre blanc

Le marbre contient généralement des cristaux de calcite (*voir* page 11) ; une goutte de vinaigre versée à sa surface provoque une effervescence.

POURQUOI C'EST FROID ?

La sensation de froid que tu as en touchant du marbre à la température ambiante est due au fait qu'il absorbe très vite la chaleur de ton corps sans se réchauffer beaucoup pour autant.

Ses grains sont moyens ou grossiers.

marbre veiné

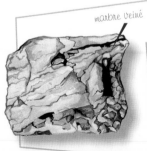

UN ÉCHANTILLON DE MARBRE VEINÉ

Si le calcaire originel contenait du sable ou de l'argile, le marbre contiendra divers minéraux comme des grenats, de l'olivine ou d'autres espèces minérales qui lui donneront une couleur et une structure veinée particulières.

- Dans les zones montagneuses ou à proximité des massifs de granite

LE SCHISTE

Le schiste provient de la transformation d'une argile sous l'action de la chaleur et de la pression. Cette roche est composée de petits feuillets empilés les uns sur les autres... comme un millefeuille !

ardoise

- Roche métamorphique
- Couleur : noir, gris, blanc, brun, rouge, vert foncé ou bleu

L'ARDOISE

L'ardoise est une forme de schiste. Elle est très utilisée pour faire des toitures et contient parfois des grains de pyrite (*voir* page 16), voire des restes de fossiles (des trilobites par exemple, *voir* pages 58-59) si elle n'a pas été trop chauffée.

Sur les sols schisteux, seules quelques plantes comme les bouleaux arrivent à pousser.

empilage de couches

UNE GRANDE FAMILLE

Les schistes forment une grande famille de roches. S'ils contiennent beaucoup de micas, qu'ils soient blancs (muscovite, *voir* page 14) ou noirs (biotite, *voir* page 20), ils se nomment alors micaschistes. S'ils renferment des grenats (*voir* page 23), on parle de schistes à grenats.

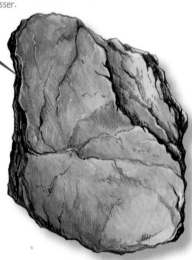

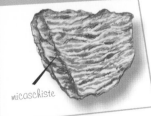
micaschiste

Le schiste a été très utilisé dans la construction. Découpé en plaques, il remplace souvent les tuiles, mais il peut aussi servir de moellon pour élever des murs.

- En bordure des chaînes de montagne (Massif central, Massif armoricain, Alpes, Pyrénées)

LE CALCAIRE

nummulite

C'est en France la roche la plus abondante.
Les célèbres gorges du Verdon ou du Tarn
sont par exemple creusées dans du calcaire.
Cette roche se dépose en bancs plus ou
moins épais. Composée de calcite finement
cristallisée, elle fait effervescence
au contact du vinaigre.

Il n'est pas rare de trouver
des fossiles dans le calcaire.
Cet échantillon contient de
très nombreuses nummulites,
des petits organismes marins
qui vivaient au début
de l'ère tertiaire.

- Roche sédimentaire
- Couleur : blanc, gris, crème,
  jaune, rouge, brun ou noir

Les calcaires oolithiques (sous forme de roche)
se déposent dans des eaux chaudes très riches
en calcaire dissous, près de récifs coralliens.

calcaire oolithique

Le calcaire oolithique est formé de petits grains
de minéraux (calcite, quartz) ou de matière
organique (piquants d'oursin, morceaux
de coquille) entourés de couches de calcite.

grains en forme d'œufs

sac de ciment

chaux

Lorsqu'on chauffe le calcaire et qu'on le réduit
ensuite en poudre, on obtient de la chaux
(lorsqu'il est très pur) ou du ciment (s'il est
plus argileux), qui sont utilisés comme
matériaux de construction.

Le calcaire est une roche imperméable.
Il est dissous par l'eau de pluie
chargée de dioxyde de carbone.

- Abondant en montagne comme en plaine

LE GRÈS

Le grès provient du durcissement d'un sable dont tous les grains sont à peu près de même taille. Le quartz en est l'élément principal. Le ciment qui assemble tous les grains entre eux est de nature variable selon l'origine et l'histoire du grès. Tu en trouveras un peu partout.

UN LARGE ÉVENTAIL

Il existe différentes sortes de grès. Une arkose est un grès grossier, souvent issu de la décomposition du granite. Une psammite est un grès contenant beaucoup de mica. Un grès quartzeux est composé uniquement de quartz.

Il peut se former sous les mers ou sur les continents.

- Roche sédimentaire
- Couleur : blanc, gris, crème, jaune, rouge, brun ou noir

Le grès est une roche plus ou moins poreuse et plus ou moins dure.

grains de sable

Il contient souvent des petites paillettes de mica.

L'ARGILE

Souvent associées au grès dans des dépôts sédimentaires, les argiles sont de très fines particules de matière arrachées aux roches par l'érosion. Les fleuves transportent ces argiles qui finissent par se déposer dans le cours d'eau lui-même, à son embouchure, dans un lac ou dans la mer. L'argile se modèle facilement (tu pourras en faire des poteries) et a une grande capacité d'absorption.

- En plaine (grès de Fontainebleau par exemple) et en montagne

LA CRAIE

coccolithes

La craie est composée quasi exclusivement de carbonate de calcium, avec toutefois un petit peu d'argile. C'est une roche tendre, poreuse et friable, qui se raye très facilement à l'ongle. Sa trace blanche sur le tableau noir symbolise l'école.

- Roche sédimentaire
- Couleur : blanc, gris

grains très fins

La poudre qui se détache de la craie correspond à de minuscules particules calcaires qui sont des fossiles d'algues marines microscopiques : les coccolithes.

Fais-en l'expérience : la craie fait fortement effervescence au contact du vinaigre.

couleur blanche

Les caves où l'on fabrique le vin de Champagne sont creusées dans la craie.

LE SILEX

La craie contient souvent des lits horizontaux de silex. Le silex est une roche dure et luisante, à grains très fins ; elle peut être jaune clair, brune ou noire. Ses éclats sont à bords aigus et translucides. Les hommes préhistoriques ont taillé dans des silex de nombreux outils ainsi que des armes.

- Notamment en Champagne, en Picardie et en Normandie

LA DIATOMITE

diatomée

La diatomite est une roche légère et friable
qui, même si elle ressemble à la craie,
ne fait pas de bulles au contact du vinaigre.
Poreuse, elle absorbe très rapidement l'eau,
un peu comme une éponge.

- Roche sédimentaire
- Couleur : blanc, gris ou vert

C'est l'accumulation de diatomées,
des petites algues unicellulaires
possédant une petite coque externe
en silice, qui forme la diatomite.

UN FILTRE
Après concassage, séchage,
broyage et traitement en usine,
la diatomite est souvent utilisée
comme filtre, notamment
pour le vin ou la bière.

couleur blanche

La diatomite se forme
dans les eaux douces ou salées.

BOUM !
C'est cette roche qui a permis
à Alfred Nobel de stabiliser
un liquide très explosif :
la nitroglycérine. Il utilisait
la poudre de diatomite
qu'il moulait ensuite en bâtonnets.
Son invention, brevetée en 1867,
a reçu le nom de dynamite.

On retrouve souvent la diatomite
dans les eaux douces des régions
volcaniques actives.

- Ardèche, Cantal

LE CHARBON

Le charbon n'est pas vraiment une roche, c'est en fait un solide qui résulte de la fossilisation de végétaux. Les hommes s'en servent depuis très longtemps comme combustible.

L'ORIGINE DU CHARBON

Le charbon résulte de la transformation de matière organique sous l'action de la chaleur et de la pression. Par exemple, le fusain, une sorte de charbon dont tu t'es peut-être déjà servi pour dessiner, dérive de troncs et de tiges de plantes.

- Couleur : noir, gris

reflets brillants

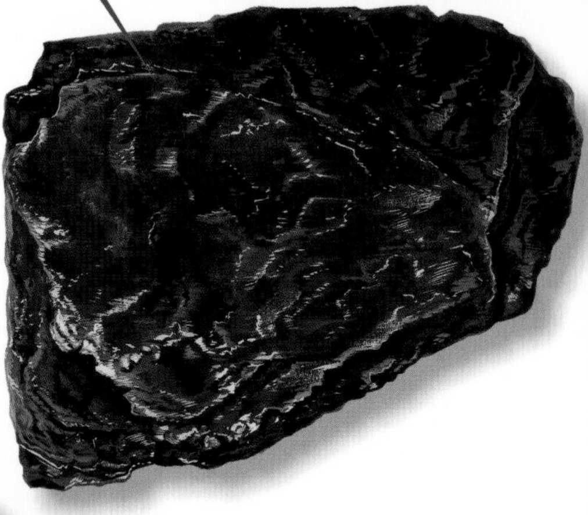

La houille est une qualité spécifique de charbon très utilisée dans les centrales thermiques ou pour la fabrication de l'acier.

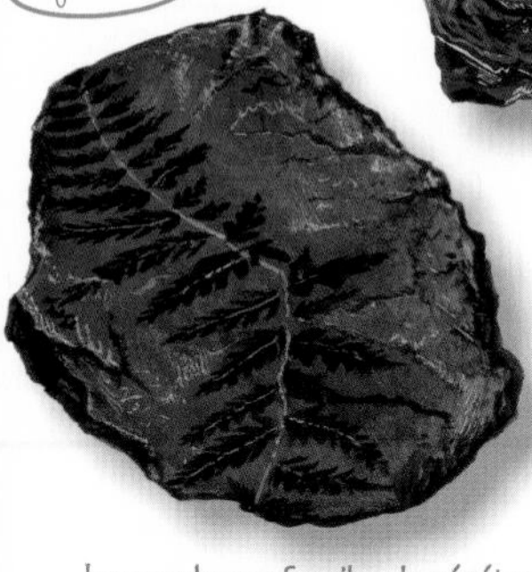

fossile

Le charbon est exploité dans de nombreuses mines à travers le monde. Les mineurs en extraient plus de 4 600 millions de tonnes par an !

Les nombreux fossiles de végétaux que l'on trouve dans le charbon ont permis de caractériser une époque géologique : le Carbonifère (une période de l'ère primaire).

NE CONFONDS PAS !

La maladie du charbon, une maladie infectieuse très dangereuse, n'a rien à voir avec le charbon que tu ramasses. Elle est provoquée par une bactérie.

- Anciennes mines de charbon
- En Lorraine, dans le Nord, Massif central, Cévennes et Pyrénées

LES FOSSILES

LES VÉGÉTAUX

Ce groupe de fossiles est extrêmement ancien. Les premiers végétaux connus, des algues microscopiques, remontent à 1,8 milliard d'années ! Les végétaux sont les premiers organismes à avoir vécu hors de l'eau, il y a 450 millions d'années environ.

NE CONFONDS PAS !

Tu trouveras parfois des dendrites en cassant des dalles de calcaire en plaquettes. Elles ressemblent à des fougères, mais ce ne sont pas des fossiles de végétaux. Ce sont des dépôts minéraux contenant du fer et du manganèse.

Ce fossile ressemble beaucoup à une fougère.

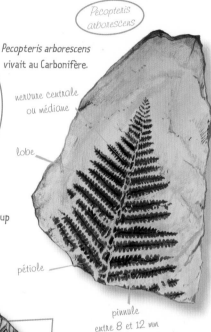

Pecopteris arborescens

Pecopteris arborescens vivait au Carbonifère.

nervure centrale ou médiane

lobe

pétiole

pinnule
entre 8 et 12 mm

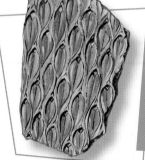

LEPIDODENDRON ACULEATUM

En latin, son nom signifie l'arbre à écailles. Cette fougère arborescente pouvait mesurer jusqu'à 40 m de hauteur ! Elle vivait entre 400 et 290 millions d'années. En tombant, les feuilles ont laissé des cicatrices en forme de losange (jusqu'à 5 cm), rangées en ligne et en quinconce.

● Mines de charbon, roches sédimentaires (grès, argiles, calcaires)

Annularia sphenophylloides

Ce fossile qui ressemble un peu à une marguerite est en fait le feuillage d'une sorte de prêle géante d'une dizaine de mètres de hauteur appelée *Calamites*.

pétales
entre 3 et 12 mm

Comme les prêles actuelles, *Annularia sphenophylloides* aimait les environnements humides. Il vivait pendant le Carbonifère.

Acer tricuspidatum

feuille jusqu'à 7 cm de long

graine

La feuille et la graine de cet érable fossile, qui vivait il y a 15 millions d'années, ressemblent beaucoup à celles de certains érables actuels comme l'érable rouge.

CORAUX ET ÉPONGES

Les coraux et les éponges sont apparus
il y a environ 500 millions d'années.
Les coraux sont des animaux marins
qui vivent généralement dans les mers
chaudes, soit en solitaire, soit en colonie.
Les éponges forment un groupe d'animaux
très primitifs dont le squelette est fait
de petites aiguilles calcaires ou siliceuses.

Cette espèce de corail solitaire
tire son nom de sa forme :
elle ressemble à une babouche,
recouverte d'un petit
couvercle, l'opercule.

Calceola sandalina

Elle mesure
5 cm de long
au maximum.

opercule

SQUELETTE FOSSILE
Le fossile que tu trouves est
en fait le squelette de l'animal.
Il est composé d'aragonite,
un minéral qui fait partie
du même groupe que
la calcite (*voir* page 11).

L'ouverture et la fermeture
de l'opercule évitait l'accumulation
de la vase à l'intérieur de l'organisme.

Elle vivait
au Dévonien, entre
416 et 359 millions d'années.

• Roches sédimentaires marines, déposées
depuis le Paléozoïque jusqu'à aujourd'hui

MEANDRORIA

Représentant des coraux coloniaux, ce fossile massif et arrondi de 10 à 30 cm présente à la surface toute une série de circonvolutions qui le font ressembler à de la cervelle ou à une boule de papier froissé avec de grandes vallées sinueuses habituellement séparées par des murailles plus hautes. Il vivait au Crétacé.

cloisons rayonnantes

Cyclolites ellipticus

Cyclolites ellipticus est un corail d'un diamètre d'une dizaine de centimètres au maximum.

Il vivait entre le Crétacé et l'Éocène.

rainure centrale

SIPHONIA PYRIFORMIS

Cette éponge siliceuse vivait ancrée sur le fond marin par un pied muni de racines qui se trouve au bout d'une tige longue et étroite. Sa forme en poire lui a donné son nom. Lorsque le fossile est complet, il a la forme d'une tulipe. Très souvent malheureusement, la tige est cassée. Elle vivait au Crétacé.

LES BRACHIOPODES

Derrière ce nom savant se cachent des animaux invertébrés marins,
dont le corps mou est protégé par une coquille formée de
deux valves inégales. Peu nombreux de nos jours, les brachiopodes
apparus il y a 540 millions d'années ont été très abondants dans
les mers de l'ère primaire.

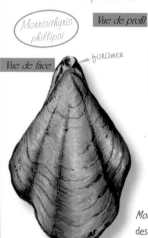

Morrisithyris phillipsi

Vue de profil

Vue de face

foramen

strie de croissance

ANATOMIE

La valve la plus développée
des brachiopodes est la valve
ventrale. Recourbée à
son extrémité, elle porte
la trace d'une petite ouverture
circulaire, le foramen,
d'où sortait le pied qui fixait
l'animal sur les galets,
les rochers ou les coquilles.

Elle peut mesurer jusqu'à
6,5 cm de long.

Morrisithyris phillipsi est un représentant du groupe
des térébratules. Cette espèce se reconnaît à la forme
en selle de sa coquille du côté opposé au foramen.

Elle vivait entre 175 et
154 millions d'années.

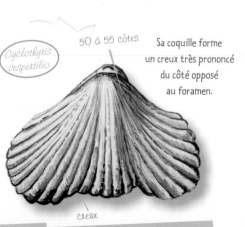

Cyclothyris vespertilio

50 à 55 côtes

Sa coquille forme
un creux très prononcé
du côté opposé
au foramen.

Cyclothyris vespertilio
vivait au Crétacé.

Elle évoque
une chauve-souris en vol,
d'où son nom d'espèce
(*vespertilio* en latin
veut dire chauve-souris).

creux

44

• Surtout dans les roches sédimentaires marines
du Paléozoïque et du Mésozoïque

Cyrtospirifer verneuilli

Plus large que longue, cette espèce, qui mesure jusqu'à 10 cm, est dépourvue de foramen.

60 à 90 côtes

Elle était particulièrement abondante il y a 385 millions d'années.

Elle vivait posée sur le fond et ne s'enfonçait pas dans le sédiment grâce à la forme très élargie de sa coquille.

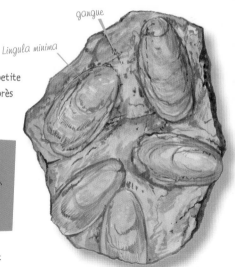

gangue

Lingula minima

Ces animaux, en forme de petite langue, mesurent à peu près 1 cm de long.

LE SAVAIS-TU ?

Les Japonais raffolent du pied musculeux des *Lingula* actuelles, qu'ils récoltent dans les eaux saumâtres ou peu profondes des côtes de leur pays.

Tu en trouveras souvent des groupes entiers réunis par une sorte de ciment (une gangue) de nature calcaire.

Le groupe des lingules est apparu voilà près de 550 millions d'années et existe toujours.

LES LAMELLIBRANCHES

Peu nombreux au cours de l'ère primaire, ces coquillages se sont largement diversifiés au cours des ères secondaire et tertiaire. Certains vivent dans l'eau douce, d'autres dans l'eau salée. Les uns sont fixés, d'autres sont mobiles, d'autres enfin s'enfouissent dans le sable. Contrairement à celle des brachiopodes, leur coquille est généralement formée de deux valves symétriques.

Très facile à identifier, sa forme générale ressemble à celle d'une coquille Saint-Jacques actuelle.

Pseudopecten aequivalvis

articulation en forme de double ailette

strie de croissance

Cette espèce d'une douzaine de centimètres vivait dans les mers de l'époque jurassique.

RHAETAVICULA CONTORTA

Ce coquillage, en forme de virgule, mesure jusqu'à 2,5 cm de long. Chaque valve est munie de 2 dents. La valve gauche est bombée, la valve droite plate. Sa surface est ornée de stries de croissance ou de lamelles concentriques. Cette espèce est caractéristique des terrains déposés voilà 200 millions d'années. Très souvent, tu la trouveras en grand nombre dans les terrains de cette époque.

● Roches sédimentaires marines déposées depuis le Paléozoïque jusqu'à aujourd'hui

Crassostrea gryphoides

Cette espèce se caractérise par une aire ligamentaire très développée.

coquille rugueuse

aire ligamentaire

Cette huître fossile atteint 1 m de long pour les plus gros spécimens !

Elle vivait dans les zones d'estuaire il y a une quinzaine de millions d'années.

Sa coquille est très rugueuse à l'extérieur. Fréquemment, de petites lamelles se détachent quand on la manipule.

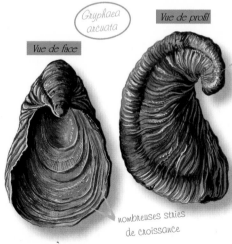

Gryphaea arcuata

Vue de face

Vue de profil

Elle peut atteindre 8 cm.

crochet

nombreuses stries de croissance

LÉGENDE
Au Moyen Âge, certains paysans qui découvraient des gryphées dans leurs champs étaient persuadés qu'il s'agissait des griffes du diable !

Elle se caractérise par son crochet très recourbé autour de la valve droite et par sa valve gauche très creusée.

Ces gryphées vivaient il y a environ 190 millions d'années. Dans certains endroits, elles se sont accumulées en grand nombre dans les dépôts de calcaire.

LES GASTÉROPODES

Ces animaux, apparus voilà 600 millions d'années, sont les seuls mollusques à avoir conquis tous les milieux. On les trouve sur la terre ferme, dans les eaux douces et dans les eaux salées. Ils se caractérisent par leur coquille spiralée, enroulée en hélice comme celle des escargots.

Turritella turris

Cette espèce est bien connue dans les accumulations de coquillages des dépôts côtiers du Miocène.

ouverture quadrangulaire

coquille ornée de petits cordons vrillés

Ce petit cône pointu peut atteindre 7 cm de long.

Planorbis crassus

ombilic (point central) large et peu profond

Cet animal est une sorte d'escargot d'eau douce. Il est fréquent dans les calcaires de l'ère tertiaire.

ouverture à gauche   spire (enroulement) plate

48

• Roches sédimentaires marines et lacustres, déposées depuis le Paléozoïque jusqu'à aujourd'hui

pointe
très aiguë

Limnaea

Ce gastéropode, d'une taille allant jusqu'à
4 cm, peut vivre dans différents milieux,
dans les eaux douces mais aussi salées,
saumâtres ou sulfureuses.

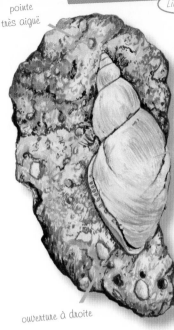

dernier tour
très gros et très ventru

Il est abondant dans les calcaires
lacustres de l'ère tertiaire.

ouverture à droite

LE SAVAIS-TU ?

Les gastéropodes forment le groupe
animal le plus important après
les insectes. On en dénombre aujourd'hui
environ 40 000 espèces différentes
dans la nature !

*Pleurotomaria
anglica*

gros tubercules
symétriques

large bandelette
au milieu du tour

Cette espèce, qui peut
mesurer jusqu'à 9 cm,
est caractéristique
de la période jurassique,
aux alentours de 190 millions
d'années.

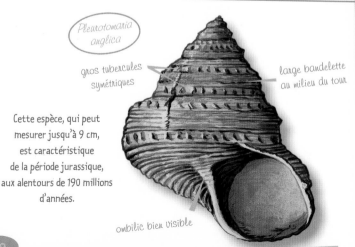

ombilic bien visible

AMMONITES ET CÉRATITES

Ces animaux sont les cousins de nos pieuvres et calamars actuels. Leur taille oscille entre quelques centimètres et 2,50 m pour les plus gros. Ils se caractérisent par une coquille enroulée en spirale et divisée en loges par des cloisons. L'animal vivait dans la dernière loge, fermée par un opercule.

ÉTYMOLOGIE

La forme de la coquille de ces animaux évoquait pour les Anciens celle des cornes de bélier. Comme le dieu égyptien à tête de bélier s'appelait Ammon, ces fossiles ont été nommés ammonites.

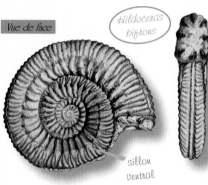

Vue de face

Hildoceras bifrons

sillon ventral

Cette espèce très commune se reconnaît facilement à sa carène saillante (excroissance située sur le bord extérieur, qui sépare la coquille en 2 parties symétriques).

carène saillante

Vue de profil

Cette espèce, qui peut atteindre 20 cm de diamètre, est caractéristique des terrains vieux de 180 millions d'années.

Son sillon ventral, placé au milieu du tour, délimite une zone externe très ornée et une zone interne lisse ou très faiblement ornée.

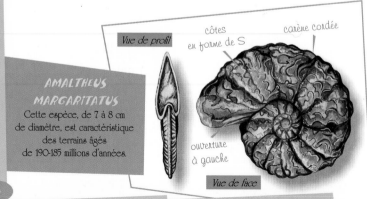

Vue de profil

côtes en forme de S

carène cordée

AMALTHEUS MARGARITATUS

Cette espèce, de 7 à 8 cm de diamètre, est caractéristique des terrains âgés de 190-185 millions d'années.

ouverture à gauche

Vue de face

50

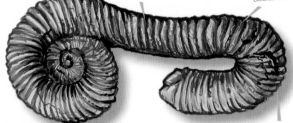

Macroscaphites yvani

rampe (partie rectiligne de la coquille) droite et légèrement courbée

côtes droites, fortes, assez nombreuses

crosse

DES CARNIVORES

Les ammonites sont des animaux carnivores. Selon la forme de la coquille, on arrive à identifier des chasseurs très actifs (coquille en forme d'amande en vue de profil) et des chasseurs plus lents (coquille plutôt rectangulaire en vue de profil). On imagine que les chasseurs actifs se déplaçaient surtout horizontalement, les autres plutôt verticalement.

Cette ammonite, qui mesure jusqu'à 12 cm, est caractéristique des terrains datant de 115 millions d'années environ.

Cératites nodosus

ligne de suture composée de lobes dentelés et de côtes très fortes et peu nombreuses

Les cératites appartiennent au même groupe que les ammonites mais sont plus primitives. Elles vivaient dans les mers il y a 230 millions d'années.

DU TEMPS DES DINOSAURES

Ces animaux ont disparu en même temps que les dinosaures à la fin de l'ère secondaire. Aujourd'hui, ils sont très utilisés par les paléontologues pour dater les terrains.

LES NAUTILOÏDES

Ces animaux ont été les grands prédateurs des mers de l'ère primaire ; on les connaît assez bien grâce aux études sur le nautile qui vit encore aujourd'hui. Leur coquille, droite, courbée ou spiralée selon les espèces, est généralement lisse. Des cloisons la divisent en loges. L'animal vit dans la dernière et en fabrique de nouvelles au fur et à mesure de sa croissance.

Ascoceras bohemicum

Ascoceras bohemicum est un représentant du groupe des orthocères. Ces animaux se caractérisent par une coquille droite, en forme de cône.

Ascoceras bohemicum vivait au Silurien, entre 443 et 416 millions d'années.

forts bourrelets

Cette espèce peut atteindre 3 cm de diamètre.

RECORD DU MONDE
Le plus grand orthocère connu, baptisé *Cameroceras*, mesurait 11 m de long ! Il vivait durant l'Ordovicien, entre 485 et 458 millions d'années.

coquille droite

coquille en spirale

Hercoglossa danica

ombilic presque fermé

Hercoglossa danica peut mesurer jusqu'à 15 cm de diamètre. Il vivait durant l'Éocène, entre 56 et 37 millions d'années.

LE NAUTILE ACTUEL
Cet animal vit de nos jours en profondeur, à proximité des côtes de l'océan Indien et du Pacifique. Plutôt de mœurs nocturnes, il marche à réaction en expulsant l'eau contenue dans son corps.

forme arrondie dorsalement

• Roches sédimentaires marines déposées depuis le Paléozoïque jusqu'à aujourd'hui

LES BÉLEMNITES

Les bélemnites sont des animaux carnivores qui ont disparu à la fin de l'ère secondaire et dont le squelette fossilisé, le rostre, ressemble à une balle de fusil ou à un capuchon de stylo à bille. Elles sont les cousines des seiches actuelles.

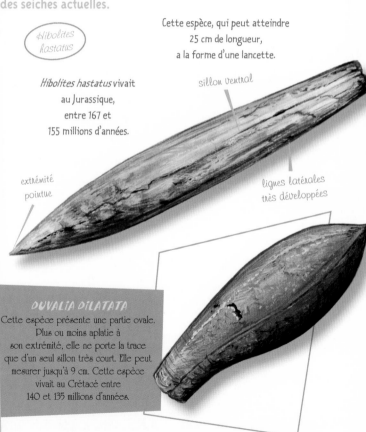

Cette espèce, qui peut atteindre 25 cm de longueur, a la forme d'une lancette.

Hibolites hastatus

Hibolites hastatus vivait au Jurassique, entre 167 et 155 millions d'années.

sillon ventral

extrémité pointue

lignes latérales très développées

DUVALIA DILATATA

Cette espèce présente une partie ovale. Plus ou moins aplatie à son extrémité, elle ne porte la trace que d'un seul sillon très court. Elle peut mesurer jusqu'à 9 cm. Cette espèce vivait au Crétacé entre 140 et 135 millions d'années.

• Roches sédimentaires marines du Mésozoïque

LES OURSINS

Les oursins possèdent un squelette articulé (appelé test), composé de plaques calcaires étroitement ajustées les unes aux autres. Ils sont protégés par des piquants (ou radioles), que l'on peut également retrouver à l'état fossile, généralement détachés du reste du squelette. Ils sont apparus il y a plus de 600 millions d'années.

Amphiope bioculata vivait durant la période miocène, aux alentours de 15 millions d'années.

Elle se reconnaît facilement à sa forme très aplatie et à ses 2 trous.

Amphiope bioculata

ambulacre (zone du pied formée de petites ventouses)

trou

Sur le dessus, tu noteras la forme de fleur à 5 pétales.

LÉGENDE ANGLAISE

En Angleterre, *Micraster coranguinum* était appelé autrefois « pain des fées ». On disait que les familles qui en avaient dans leurs maisons ne manqueraient jamais de pain.

Micraster coranguinum

dépression

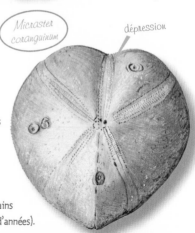

Cet oursin d'une dizaine de centimètres au maximum a globalement la forme d'un cœur. Il se caractérise notamment par sa dépression à l'avant.

Cette forme est typique des terrains du Crétacé supérieur (vers 90 millions d'années).

• Roches sédimentaires marines déposées depuis le Paléozoïque jusqu'à aujourd'hui

Rhabdocidaris copeoides

Son test arrondi peut atteindre 8 cm de diamètre. Il porte des rangées de tubercules qui ressemblent à des boutons-pression dont la taille augmente vers le sommet du squelette.

Il vivait dans les mers du Jurassique entre 171 et 161 millions d'années.

Les radioles de cet oursin mesurent jusqu'à 12 cm de longueur.

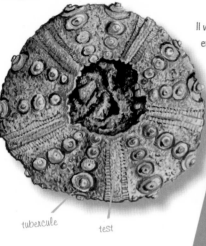

tubercule

test

Clypeaster scillae

Cette espèce est abondante dans les terrains miocènes datant d'environ 20 millions d'années.

pétales

De forme pentagonale, cet oursin de grande taille peut mesurer jusqu'à 20 cm de long, 17 cm de large et 9,5 cm de haut.

Sa surface est rugueuse et ses pétales bien développés.

OPHIURES ET LYS DE MER

Ces organismes appartiennent à la même famille que les oursins.
Le lys de mer vit fixé sur le fond par un pédoncule, surmonté
d'un calice, d'où partent les bras. Les ophiures, quant à elles,
sont voisines des étoiles de mer. Leurs bras sont fins et le disque
central bien individualisé.

Ce lys de mer, connu aussi sous le nom de crinoïde, a une tige de 1,3 cm de diamètre
formée de petits articles pentagonaux (à 5 côtés). Sur chaque article de la tige,
tu observeras les 5 pétales caractéristiques.

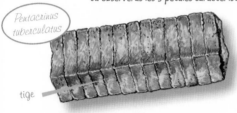

Pentacrinus tuberculatus

pétale

tige

Pentacrinus tuberculatus vivait
dans les niveaux marins du Jurassique
(vers 190 millions d'années).

UN BIJOU

À partir des tiges de *Pentacrinus*,
un orfèvre de la ville de Digne
eut l'idée de réaliser une série
de bijoux. La forme en étoile
du petit fossile lui conférant
des propriétés magiques, ce bijou
fut un porte-bonheur.
Il fut également un signe
de reconnaissance pour les Dignois
immigrés au Mexique dans la
seconde moitié du XIXe siècle.

INCROYABLE

Certaines ophiures pouvaient
atteindre 17 m de long !

bras allongés
et souples

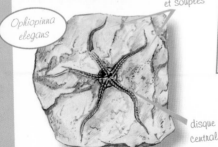

Ophiopinna elegans

disque
central

Cette espèce vivait dans les mers
du Jurassique il y a 160 millions d'années.

Ces animaux, qui formaient pourtant
d'épais tapis au fond des océans,
sont rares à l'état fossile.

Les bras pouvaient repousser
en cas d'amputation.

56

• Roches sédimentaires marines du Mésozoïque
essentiellement

LES INSECTES

Les insectes ont un corps composé de 3 parties : tête, thorax et abdomen. Ils ont 6 pattes, 4 ailes et 2 antennes. Les scientifiques ont décrit près de 1 million d'espèces (soit environ les deux tiers des espèces animales connues), et il pourrait en exister 30 millions. À l'état fossile, ils sont connus depuis 400 millions d'années, mais se conservent très rarement.

Eoblattina temporis

aile

Eoblattina est une sorte de blatte. Comme les espèces actuelles, cet animal se nourrissait de matière organique morte.

MEGANEURA MONYI

Meganeura est un des plus grands insectes qui aient jamais existé sur Terre. Son envergure est d'environ 70 cm ! Il vivait dans les forêts chaudes de l'époque carbonifère, entre 380 et 350 millions d'années. Ce prédateur se nourrissait de petits amphibiens et d'autres insectes.

● Dans le charbon, l'ambre, les calcaires en plaquettes à grains très fins

LES TRILOBITES

Les trilobites sont des cousins très éloignés du limule actuel. Abondants dans les mers de l'ère primaire (plus de 18 000 espèces ont déjà été décrites), ils disparaissent à la fin de cette période. Ils tirent leur nom de la division de leur corps en 3 lobes : 1 lobe médian et 2 lobes latéraux.

UN SPÉCIMEN EXCEPTIONNEL

Le plus gros trilobite connu mesure 72 cm de long. Il a été découvert le long de la baie de l'Hudson, au Canada.

Cette espèce est très commune dans les mers du Dévonien, vers 400 millions d'années.

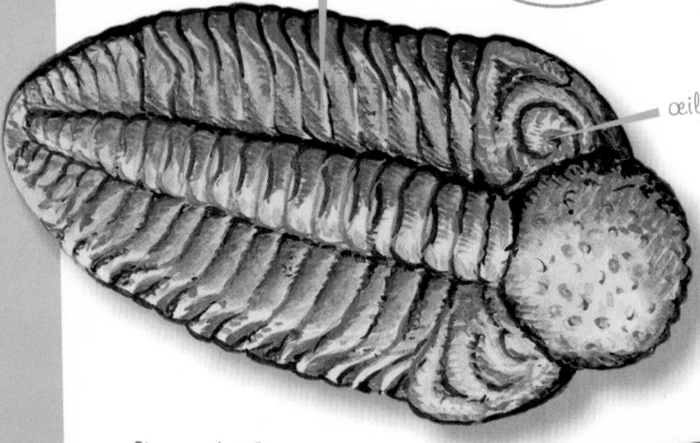

thorax composé
de 11 segments
Phacops
latifrons
œil à facettes

La tête de cet animal est plus grande que sa queue.

Phacops latifrons mesure jusqu'à 6,5 cm de long.

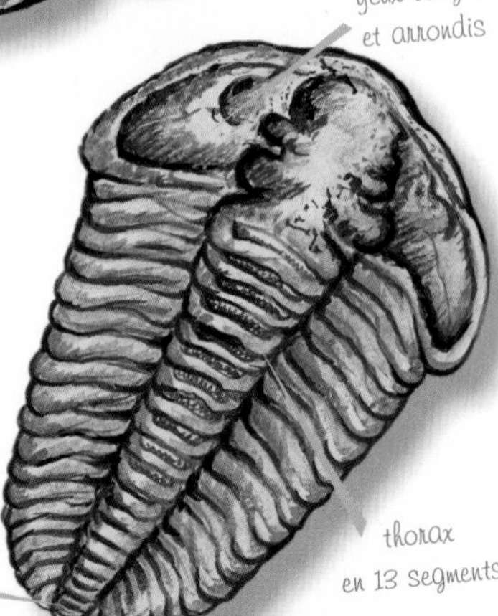

yeux larges
et arrondis
Calymene
blumenbachi
thorax
en 13 segments
queue en 6 segments

Calymene vivait dans les mers du Silurien et du Dévonien entre 440 et 360 millions d'années.

- Dans les roches sédimentaires marines du Paléozoïque

- Pyrénées, Bretagne, Languedoc, Ardennes

Trinucleus ornatus

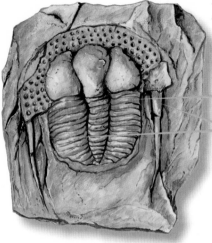

Cette espèce est assez simple à reconnaître : sa tête est entourée d'une sorte de collerette de dentelle et porte 2 fortes pointes génales qui dépassent de beaucoup la longueur du corps.

thorax en 6 segments

pointes génales

Trinucleus ornatus, d'une longueur de 2,5 à 3 cm, vivait dans les mers ordoviciennes, entre 488 et 443 millions d'années.

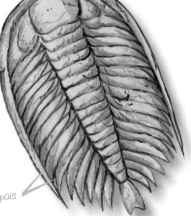

Paradoxides brachyrachis

Cette espèce se caractérise par le faible développement de sa queue et par les segments très épais de son thorax.

segments épais

Cet animal, qui peut mesurer jusqu'à 30 cm, vivait dans les mers du Cambrien entre 540 et 488 millions d'années.

POISSONS ET TORTUES

Tu as très peu de chances de découvrir des squelettes de poissons.
En revanche, on trouve assez facilement des dents de requins
dans les dépôts marins. Ces animaux, très primitifs, sont apparus
il y a 430 millions d'années environ.

Lamna

pointe principale

tranchant non crénelé

Tu trouveras *Lamna*, le requin taupe,
dans les terrains plus récents
que 65 millions d'années.

2 petites pointes
latérales

Le squelette du requin
est cartilagineux.
C'est la raison pour laquelle
il se conserve très mal et
que tu découvriras surtout
des dents isolées.

Dapalis macrurus

MANQUE D'OXYGÈNE

Certaines couches sont très riches
en fossiles de poissons enchevêtrés
les uns dans les autres. Il s'agit
certainement d'individus morts en masse
lors de phases de sécheresse,
qui abaissent le taux d'oxygène
dissous dans l'eau.

nageoire

carapace
de Trionyx

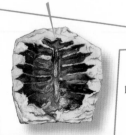

La découverte de ce type de fossile est exceptionnelle.
Cette espèce, qui peut mesurer 25 cm, fréquentait
les eaux douces du sud de la France durant la période
oligocène, entre 38 et 25 millions d'années.

UNE ÉCAILLE DE *TRIONYX*

Trionyx est une tortue aquatique. Tu trouveras dans
les anciennes rivières ou dans les anciens lacs les restes
de sa carapace sous forme d'écailles isolées. Celles-ci
sont parcourues en surface par un réseau de creux et
de reliefs de forme sinueuse très caractéristiques.

60

- Poissons : roches sédimentaires déposées
  depuis le Paléozoïque jusqu'à aujourd'hui

- Tortues : roches sédimentaires déposées
  depuis le Mésozoïque jusqu'à aujourd'hui

MAMMIFÈRES ET DINOSAURES

Les mammifères fossiles sont surtout présents dans les terrains de l'ère tertiaire, même si le groupe est apparu dès le Trias, voilà 240 millions d'années. Les espèces les plus grosses sont principalement représentées par leurs dents.

CHERCHEUR D'OS

Pour les trouver, il faut que tu explores les dépôts des anciennes rivières. Les chenaux de grès sont souvent de bons endroits où récolter des fossiles.

Gomphotherium est un représentant du groupe des mastodontes, de lointains cousins de l'éléphant.

Originaire d'Afrique, il est venu par migration dans notre pays.

molaire de *Gomphotherium angustidens*

Tu le trouveras dans les terrains dont l'âge est compris entre 17 et 10 millions d'années.

dent de *Mammuthus primigenius*

Tu trouveras les dents du mammouth dans les terrains récents, dans les vallées des rivières.

DES ŒUFS DE DINOSAURE !

Les dinosaures pondaient des œufs pour se reproduire. Tu pourras, surtout dans le sud de la France en Languedoc et en Provence, dans les terrains datant d'environ 80 millions d'années, trouver des morceaux de coquilles, plus rarement des œufs entiers.

De grande taille, elles sont formées par une série de lames juxtaposées les unes aux autres.

œuf de dinosaure

morceau de coquille

- Mammifères : essentiellement dans les terrains continentaux du Cénozoïque
- Dinosaures : uniquement terrains continentaux du Mésozoïque

iNDEX